BOB O'CHWITH

Haf Roberts

Lluniau gan
Giles Greenfield

Gwasg Carreg Gwalch

Un digri ydi Bob O'Chwith.
Dydi o ddim cweit yr un fath â chi a fi,
neu efallai mai chi a fi sydd
ddim cweit yr un fath ag o.

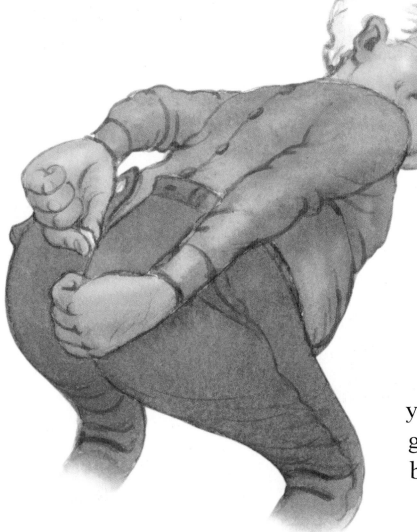

Wrth wisgo
amdano yn y
bore, mae Bob
yn cau botymau'i
grys am ei gefn a
balog ei drowsus
am ei ben-ôl!

4

Mae Bob yn rhoi
ei esgid chwith
am ei droed dde ac yn
rhoi ei esgid dde
am ei droed chwith.

Mae'n gosod ei sbectol
â'i phen ucha'n isa
ar ei drwyn . . .

. . . ac yn gwisgo'i sanau dros ei esgidiau

a'i drôns dros ei drowsus!

I frecwast, mae Bob yn bwyta
llond platiad o swper a phob
nos cyn mynd i'w wely,
mae o'n llowcio clamp o frecwast.

Mae Bob yn gwisgo sbectol haul
a throwsus bach pan mae hi'n oer
ac yn bwrw glaw, a chôt, sgarff,
cap a menig pan mae hi'n braf.

Ia, un digri ydi
Bob O'Chwith!

Heddiw, mae Bob am fynd i lan y môr.
Mae'n fis Tachwedd – mae'r gwynt yn fain
ac mae'r awyr yn llawn cymylau duon.

"Diwrnod gwerth chweil i dorheulo
a throchi 'nhraed yn y dŵr," meddai Bob.

Felly, mae'n gwisgo'i dryncs nofio,
ei gogls a'i fflipers ac yn rhoi dau lyfr,
cwch gwynt, radio, bocs bwyd, barbeciw
a bwrdd a chadair fawr mewn bag bychan,
bach ar ei fol.

Mae'n daith hir iawn, iawn i Draeth Tywod Budr.

Ydi Bob am fynd ar y bws?
Nac ydi.

Ydi Bob am fynd ar y trên?
Nac ydi.

Ydi Bob am fynd ar gefn ei feic?
Nac ydi.

Mae Bob am gerdded – am yn ôl!
Mae'n well gan Bob weld lle mae
o wedi bod yn hytrach na lle mae
o'n mynd.

Ac i ffwrdd ag o.

Heibio'r Traeth Melyn Braf . . .

. . . ar hyd
stryd y pwll
nofio cynnes
dan do . . .

ac i fyny'r Bryn Mwyaf.

Ymhen hir a hwyr, wrth iddi ddechrau nosi,
mae Bob yn cyrraedd pen ei siwrnai.

"Rhyfedd!" meddai Bob.
"Mae'r traeth yn wag.
Ble mae pawb?"

Wedi cerdded mor bell, mae Bob bron â llwgu ac felly mae'n estyn y barbeciw, ei fwrdd a'i gadair. Mae'n eistedd ar y bwrdd ac yn gosod ei farbeciw ar y gadair.

Mae Bob yn rhoi rhew ar ei farbeciw, a rhesaid o un deg saith o lolis rhew. Gormod o lawer i Bob ar ei ben ei hun, ond roedd o wedi meddwl cael parti ar y traeth efo'i ffrindiau.

Pedwar loli blas caws a nionyn,
Pedwar loli cyw iâr a stwffin,
Pedwar loli cyrri a sglodion
A phedwar loli blas dŵr a sebon!
Ac un loli blas loli!
Dowch i'r parti ar y traeth.

Bob O'Chwith

Fory mae o'n mynd i anfon y gwahoddiadau.

Ymhen dim o dro, mae Gwil Gwylan yn clywed
oglau'r barbeciw rhyfedd ac mae'n dod draw
i weld beth sy'n digwydd.

Hoff adar Bob ydi gwylanod – does dim byd
yn well ganddo na rhannu ei fwyd efo nhw.
A dweud y gwir, mae ganddo fwrdd adar
dim ond i wylanod gartref.

"Gymeri di loli rhew, Gwil bach?"gofynna Bob.

"Loli rhew ganol gaeaf?" hola Gwil mewn syndod.
"Dim diolch!"

Mae'r gwynt yn chwipio'n oer ar hyd y traeth,
mae'n dechrau pluo eira ac mae'r lleuad bellach
i'w gweld yn yr awyr. Ond mae Bob O'Chwith
wrth ei fodd yn eistedd, yn gwylio'i radio
ac yn bwyta'i lolis rhew.

"Annwyd gei di, Bob – annwyd trwm," rhybuddia
Gwil Gwylan. Ond mae Bob yn rhy brysur yn llowcio'r
darn olaf o'i loli rhew cyrri a sglodion i wrando ar Gwil.

"Wyt ti eisiau fy helpu i godi castell tywod,
Gwil?" gofynna Bob.
"Dim diolch, mae'n llawer rhy oer," ateba Gwil.
"Rwy'n mynd yn ôl i fy nyth gynnes braf ar ben
y clogwyn. Hwyl fawr!"

Ac i ffwrdd ag o.

Heb gwmni i godi castell tywod, mae Bob
yn penderfynu mynd i'r môr i nofio.
Felly, mae'n tynnu ei dryncs,
ei gogls a'i fflipers . . .

. . . ac yn gwisgo'i drowsus
a'i drôns,
ei grys a'i siaced a'i sgidiau
a'i sanau yn barod ar gyfer
mynd i'r dŵr.

Mae'n estyn ei gwch gwynt
ac yn rhoi'r mymryn lleiaf
o eli lleuad ar flaen ei drwyn.

Mae dŵr y môr yn oer fel rhew.
"Dyma hwyl," meddai Bob, wrth frasgamu
i mewn i'r dŵr hyd at ei geseiliau.
"Rydw i wrth fy modd yn y dŵr oer braf!"
Ac mae'n dechrau nofio.

Mae creaduriaid y môr yn dychryn am eu
bywyd wrth weld Bob yn mynd heibio.
Dydyn nhw ddim wedi gweld neb yn y dŵr
ers mis Medi!

"Be yn y byd wyt ti'n ei wneud, Bob?"
hola Cadi Cranc.

Crancod ydi hoff greaduriaid Bob.
Mae ei ffrindiau i gyd yn meddwl
eu bod yn greaduriaid blin iawn,
ond mae Bob wrth ei fodd efo nhw.
Byddai wrth ei fodd
yn cael cranc anwes pe bai
ganddo fôr yn ei dŷ.

"Annwyd gei di, Bob – annwyd trwm,"
rhybuddia Cadi Cranc.
"Wyt ti eisiau ras nofio efo fi, Cadi?" hola Bob.
"Dim diolch," ateba Cadi. "Mae'n llawer rhy oer.
Rwy'n mynd yn ôl i waelod y môr i gysgodi dan
y cerrig. Hwyl fawr!"

Ac i ffwrdd â hi.

Heb gwmni i gael ras nofio, mae Bob
yn penderfynu torheulo yn y tywyllwch
yn ei gwch gwynt. Mae'r eira'n disgyn
yn drwch drosto i gyd wrth i'r cwch siglo'n
ôl ac ymlaen yn y dŵr, yng ngolau'r lleuad.

25

"Bobol bach, mae'n hanner nos!
Amser mynd adref!"

Mae Bob yn hel ei bethau at ei gilydd
ac yn rhoi'r ddau lyfr, y cwch gwynt,
y radio, y bocs bwyd, y barbeciw a'r
bwrdd a'r gadair fawr mewn bag bychan,
bach ar ei fol. Ac i ffwrdd ag o.

I fyny'r Bryn Mwyaf . . .

. . . ar hyd stryd y pwll nofio cynnes dan do . . .

. . . heibio'r Traeth Melyn Braf.

Ac adref yn ôl i Drws Nesaf.

Mae Bob O'Chwith wedi cael diwrnod
bendigedig ac, yn goron ar y cyfan,
mae wedi cael annwyd trwm.

Mae o wrth ei fodd.

Wrth iddo fwyta'i
frecwast cyn
noswylio, mae ei
ddolur gwddw'n
brifo pan mae'n
llyncu'r creision
ŷd cras.

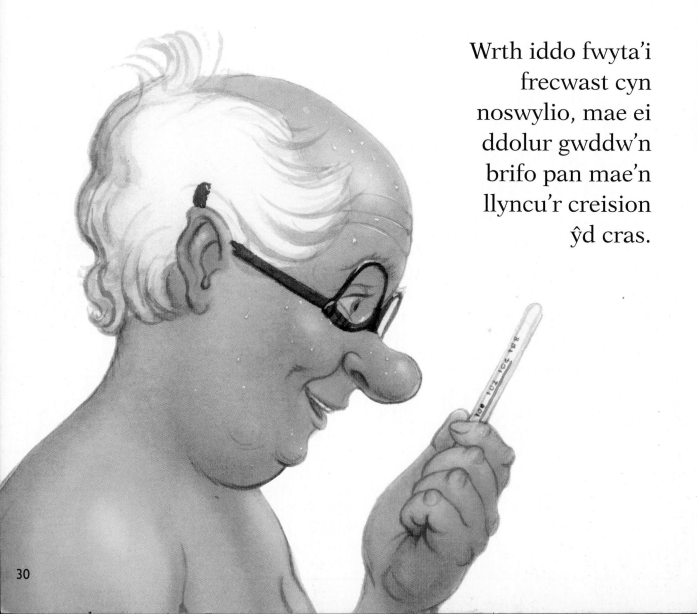

Ac wrth iddo fynd i lawr y grisiau i'w wely, mae ei drwyn yn diferu fel tap yn gollwng.

"Dyna ddiwrnod gwerth chweil!
Bore da i bawb!" meddai Bob,
cyn cysgu'n sownd.